Les animaux de Lou

Sauve-toi, Petit Tigre !

...pour les enfants qui apprennent à lire

Le texte à lire dans les bulles est conçu pour l'apprenti lecteur. Il respecte les apprentissages du programme de CP :

 le niveau TRES FACILE correspond
aux acquis de septembre à décembre,

 le niveau FACILE correspond
aux acquis de janvier à juin.

Cette histoire a été testée à deux voix par Francine Euli, enseignante, et des enfants de CP.

Cet ouvrage est un niveau Facile.

© Éditions Nathan (Paris, France), 2012
Loi n° 49-956 du 16 juillet 1949 sur les publications destinées à la jeunesse
Numéro d'éditeur : 10179449 – Dépôt légal : Janvier 2012
ISBN : 978-2-09-253640-7
Imprimé en France par Pollina - L59062b

Sauve-toi, Petit Tigre !

TEXTE DE MYMI DOINET

ILLUSTRÉ PAR MÉLANIE ALLAG

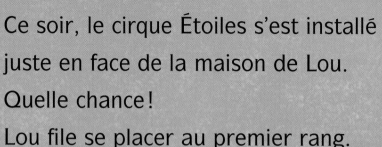

Ce soir, le cirque Étoiles s'est installé
juste en face de la maison de Lou.
Quelle chance !
Lou file se placer au premier rang.
Le spectacle commence !

D'ici, je vais voir
tous les numéros !

Sacha Hutte, le clown, entre
le premier en piste.
Il sent un bouquet de roses.
Flip, flap ! Les fleurs l'arrosent :

Zut, me voilà
douché !

Puis, c'est au tour du dompteur !
Face à son jeune tigre perché
sur un tabouret,
Fred Lefouet agite un cercle
de flammes.

Le félin recule de trois pas,
et miaougrr ! il miaule tristement.
Que veut-il dire ? Heureusement,
Lou a un super pouvoir : elle comprend
le langage des animaux !

J'ai peur du feu !

Lou se lève d'un bond. Des gradins,
elle rassure le jeune fauve :

Courage,
Petit Tigre !

Et hop ! Le félin
saute.

À la fin du spectacle, Lou quitte
le chapiteau et elle se faufile
vers la cage de Petit Tigre. Prêt à
le fouetter, le dompteur menace :

Gare à tes moustaches,
si tu ne m'écoutes pas !

En colère, Lou crie plus fort
que Fred Lefouet.

C'est interdit
de faire du mal
aux animaux !

Le lendemain, inquiète pour
Petit Tigre, Lou se réveille très tôt.
De la fenêtre de sa chambre,
elle voit le cirque qui déménage.

Dans sa cage, le jeune félin supplie :

À l'aide,
je veux sortir
de ma prison !

Avec Réglisse, sa chienne labrador,
et Macaron, son chat fripon,
Lou se précipite derrière les caravanes
du cirque qui démarrent. Soudain, bing!
d'un coup de patte, Petit Tigre ouvre
la porte de sa cage mal refermée.

Lou crie :

Sauve-toi,
Petit Tigre !

Le jeune fauve court plus vite
que son ombre!
Mais, au bout de la rue, Petit Tigre
tombe sans force. Lou s'empresse
de le prendre dans ses bras.
Comme il est léger! Son horrible
maître n'a pas dû bien le nourrir.

Lou se précipite chez Bob Boulette,
le boucher.

Bob Boulette sait que Lou vient
en aide aux animaux. Alors, il remplit
trois gamelles, une pour Réglisse,
une pour Macaron, et une pour ce petit
fauve tout rayé qu'il n'a jamais vu !

Petit Tigre va mieux. Il gambade
vers le bois tout proche avec Réglisse
et Macaron. La truffe au vent,
le trio fait la course aux papillons.

Macaron miaule :

On va pouvoir jouer
à tigre perché !

Lou est rassurée. Pour Petit Tigre,
c'est le début du bonheur !

Tout à coup, un camping-car freine
à l'entrée du bois. Catastrophe!
C'est Fred Lefouet. Rouge de rage,
le dompteur hurle:

Gare à vos côtelettes,
je vais vous réduire
en miettes!

Lou court.

Cachons-nous!

Gnap! Petit Tigre transporte
Macaron dans sa gueule, et
il bondit par-dessus les buissons
pour vite protéger son copain.

Pendant ce temps-là, crac!
Réglisse mord et déchire le pantalon
du dompteur. Fred Lefouet se débat.
Plouf! il glisse dans la mare.

Bravo Réglisse!
Il méritait une leçon!

Mais que va donc devenir Petit Tigre ?
Impossible de l'adopter comme un chat,
c'est un animal sauvage !
Lou file voir sa tatie qui est vétérinaire.

Petit Tigre passe la patte à travers la volière pour attraper les oiseaux soignés par tatie Ouistiti.
Elle s'écrie :

Bas les pattes, petit chasseur, il te faut ta grande forêt !

Quelques semaines plus tard, Lou reçoit un message sur son ordinateur.

C'est tatie Ouistiti qui lui envoie
une photo de Petit Tigre !

Je suis si bien en Inde
dans ma forêt géante !

Lou te dit tout sur le tigre

Cousin du chat

Le tigre fait partie de la famille du chat,
du lion et de la panthère. C'est le plus
grand félin du monde. Adulte, il peut
peser plus de 250 kilos. En liberté,
les tigres vivent dans les forêts tropicales
de l'Inde, là où il fait très chaud. D'autres
vivent en Sibérie, là où il fait très froid.

Des petits qui n'ont pas peur de l'eau

La maman tigre donne naissance à 2 ou 4
petits. Ses bébés pèsent le poids d'un
paquet de farine. Contrairement aux chats,
ils n'ont pas peur de l'eau. En grandissant,
ils deviendront très bons nageurs.

La nuit, le tigre ne dort pas

Le fauve s'active surtout au crépuscule sans craindre l'obscurité : ses yeux dorés comme des pépites voient très bien dans le noir. Pendant la journée, il se repose en siestant dans sa tanière. Par grand soleil, il s'allonge aussi parfois à l'ombre sur une branche lui servant de hamac.

Une parfaite tenue de camouflage

Avec son pelage orangé aux rayures noires, le tigre se cache dans les hautes herbes de la forêt. Quant à ses pattes, elles sont équipées de coussinets, comme s'il avait des chaussons. Cela lui permet de marcher sans bruit.

À la rentrée de septembre, les enfants de CP entrent doucement en lecture. Afin de les accompagner dans cette découverte et d'encourager leur plaisir de lire, Nathan Jeunesse propose la collection **Premières lectures**.

Chaque histoire est écrite avec des **bulles**, très simples, et des **textes**, plus complexes, dont les sons et les mots restent toujours adaptés aux compétences des élèves dès le CP.

Les ouvrages de la collection sont tous **testés** par des enseignants et proposent deux niveaux de difficulté : **Très Facile** et **Facile**.

Cette collection est idéale pour la mise en place d'une **pédagogie différenciée**, mais aussi pour une **lecture à deux voix**. Elle permet en effet de mêler la voix d'un «lecteur complice», que la lecture des textes rend narrateur, à celle d'un enfant qui se glisse, en lisant les bulles, dans la peau du personnage.

Un moment privilégié à partager en classe ou en famille !

premiers romans

Et après les **Premières lectures**, découvrez vite les **Premiers romans** !